Chłopiec z kolorową głową

IGNAŚ

The Boy with the Colorful Head

Anna Mycek-Wodecki

GDAŃSKIE WYDAWNICTWO OŚWIATOWE

Korekta/Editor: *Jacek Foromański*
Redakcja tekstu angielskiego/English editor: *Barbara Mirecki*
Skład/Typesetting: *Leszek Jakubowski*
Ilustracje, układ graficzny/Illustrations and graphic design: *Anna Mycek-Wodecki*

ISBN 978-83-7420-270-1

Wydawca/Publisher: Gdańskie Wydawnictwo Oświatowe, 80-309 Gdańsk, al. Grunwaldzka 413

Gdańsk 2010. Wydanie pierwsze/First edition
Druk i oprawa/Printed by Interak, Czarnków

Podziękowania
Wszystkie opisane w książce historie są prawdziwe i pochodzą ze wspomnień
Ignacego Jana Paderewskiego, spisanych w 1938 roku przez Mary Lawton.
Jemu więc składam podziękowania największe – za piękno kolorowego umysłu
i kolorowego serca, ponieważ bez nich moja książka by nie powstała.

Pragnę również podziękować za pomoc i współpracę Izabeli Roman
oraz Barbarze Mireckiej, a także mojej córce Natalii Wodeckiej.

Acknowledgements
The stories related here are authentic and derive from The Paderewski Memoirs
co-authored in 1938 with Mary Lawton.
The Maestro has my heartfelt gratitude for the inspiration found in the beauty
of his colorful head and his colorful heart, without which the book would not have
come to be.

For unstinting support and collaboration in the project I thank Izabela Roman,
Barbara Mirecki, and my daughter, Natalia Wodecki.

Jestem małym chłopcem
z kolorową głową.
Mam rude włosy i pełno
kolorowych myśli.

I am a little boy
with a colorful head.
I have red hair and lots of
colorful thoughts.

Lubię **zbierać dźwięki:**

słuchać muzyki ogrodu,

bzyczenia pszczół i delikatnego **szeptu kwiatów**

otwierających się do **słońca.**

I like **catching sounds**, listening to the music of the garden, the buzz of noisy bees flying around and the soft **whisper of flowers** opening toward the **sun.**

Nawet gdy pędzę na swoim rumaku,
nutki galopują wraz ze mną i wzywają do boju...
A ja bohatersko ratuję wszystkich od zguby!

Oczywiście na niby...

Even when I'm galloping on my stallion,
the little notes gallop along with me,
calling me to action, and I bravely
rescue everyone.

It's make believe, of course.

Gdy gram, nutki skaczą szczęśliwe.

Jedna spadła na rączkę Antosi i bardzo rozrabia.

Antosia się śmieje i chce złapać więcej nutek,

ale one bawią się z nami w chowanego.

Ach, te nasze nutki psotki!

When I play, little notes fly cheerfully
around. One landed on Antosia's hand
and is playing tricks. Antosia
laughs and wants to catch more,
but the little notes play hide and seek.

Oh, those silly little notes!

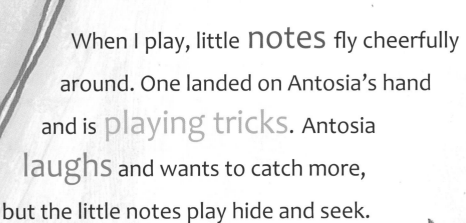

Muzykuję sobie kolorowo.

Ptaki i zwierzęta układają się w melodie.
Przyleciał skowronek, kocur mruczy
zadowolony, a pani czapla tupie do rytmu
długimi nogami.

I'm making colorful music.

Birds and animals compose the melody.
The lark flies in, a big cat murmurs
happily and Miss Heron taps to
the beat with her large feet.

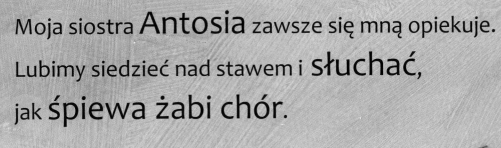

Moja siostra **Antosia** zawsze się mną opiekuje.

Lubimy siedzieć nad stawem i **słuchać**,

jak **śpiewa żabi chór**.

My sister **Antosia** always takes care of me.

We like sitting by the pond and listening to

a frog chorus.

Któregoś dnia grałem etiudę Chopina. Malutki pajączek
zjechał z sufitu na nitce i zawisł nad fortepianem. Słuchał uważnie
i przewracał z zadowoleniem oczami.

Gdy przestawałem grać, pajączek myślał, że koncert skończony,
i wspinał się z powrotem po nitce do góry, ale gdy tylko ponownie
zaczynałem grę, pajączek natychmiast zjeżdżał w dół i słuchał uważnie...

Mój nowy przyjaciel!

One day, I played a Chopin etude. A wee spider came down
from the ceiling and hovered over the piano. He listened carefully
rolling his eyes with pleasure.

When I stopped playing, the spider thought that the concert was
over and started climbing up his thread, but as soon as I resumed
playing, he came down again listening attentively...

My new friend!

Posłuchajcie, ile muzyki jest w ogrodzie...

Jak pięknie śpiewa ptak, maki tańczą na wietrze...

Słychać nawet biedronkę maszerującą po listku!

Listen to how much music floats about in the garden...

how beautifully the bird sings, how poppy

flowers dance in the wind.

You can also hear a ladybug march across a leaf!

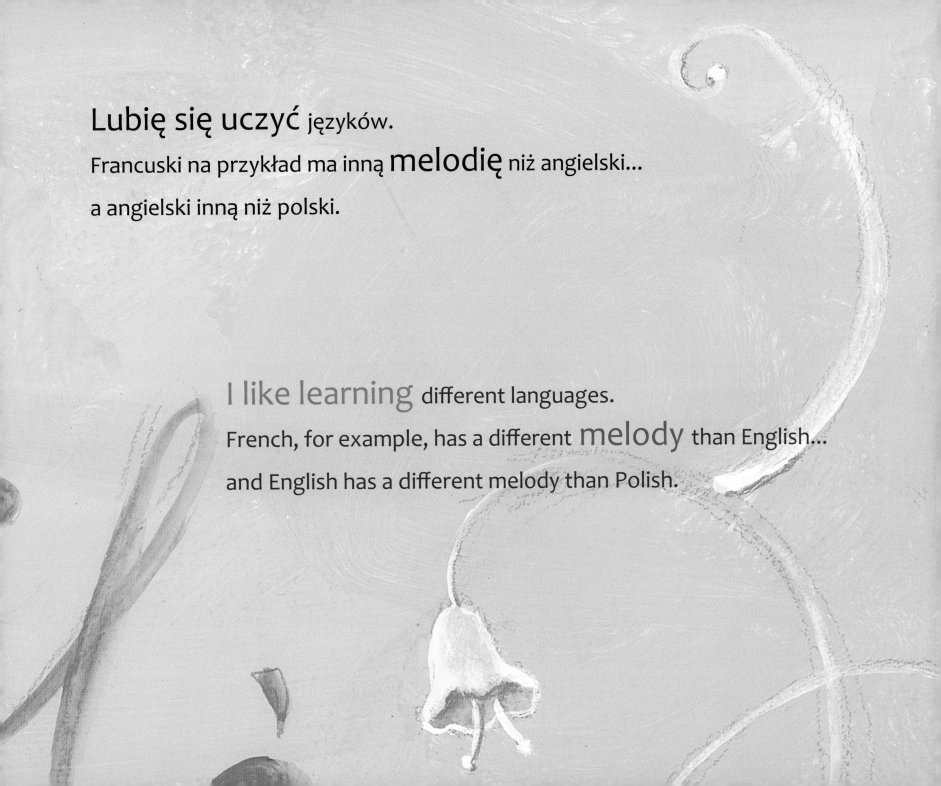

Lubię się uczyć języków.

Francuski na przykład ma inną melodię niż angielski...

a angielski inną niż polski.

I like learning different languages.

French, for example, has a different melody than English...

and English has a different melody than Polish.

A to jest mój ukochany piesek, kundelek,
któremu dałem na imię z francuska Brise-fer.
„Chodź tutaj, Brise-fer, pobawimy się piłeczką".
Imię mojego pieska brzmi jak piękna
muzyka, dlatego lubię je wymawiać.

And this is my beloved puppy, a mutt.
I gave him a French name: Brise-fer.
"Brise-fer, come here please, we will play ball."
My puppy's name is like beautiful music
– that's why I like calling him.

A tutaj z kolei jest moja koleżanka papuga, której
również nadałem imię pełne melodii – tym razem angielskiej:
Cockey Roberts. Gdy gram, Cockey Roberts lubi
siadać na moim buciku i wołać wniebogłosy:

„O Boże, jakież to piękne, jakie piękne!".

Co zawsze mnie bardzo rozśmiesza!

And here is my good friend Parrot. For her I chose
a melodic English name: Cockey Roberts.
When I play, Cockey Roberts sits on
my shoe and shouts loudly:

"Oh Lord, how beautiful, how beautiful!"

This always makes me laugh.

Moja głowa jest zupełnie... wiewiórkowa!

My colorful head is...
...squirrel hair red...

Muszę Wam też powiedzieć, że zupełnie **nie rozumiem**, co to znaczy zazdrość. Bardzo podobają mi się **buciki** mojego kuzynka Florianka – zielone i błyszczące. **Wyglądają jak zaczarowane,** ale w ogóle mu ich nie zazdroszczę!

I have to tell you, that I don't understand how it feels to be jealous! I really like the green and shiny shoes of my little cousin Florianek; they seem magical, but I never felt jealous about them.

Posłuchajcie:

Pewnego dnia, gdy biegłem do domu, nad moją

głową pojawił się przepiękny puchaty Anioł!

Uśmiechnął się ślicznie i dotknął skrzydłem mojej głowy.

Od tego momentu wiedziałem, że stanę się sławnym

muzykiem i że będę pomagał ludziom.

This was absolutely unreal, listen:

One day, when I was running back home, a beautiful,

fluffy Angel appeared above my head! He smiled at me

sweetly and touched my head with his wing.

From this moment I knew that I would become a famous

musician and that I would help people around the world.

Wiedziałem też, że w przyszłości ludzie na całym świecie będą czytać o mnie w gazetach...

I also knew, that in the future people around the world would read about me in the newspapers...

...i że będę miał własną gwiazdę
w Hollywood...

...and that I would have my own
star on Hollywood Boulevard...

Ale to wszystko jest **ważne tylko trochę,**

bo tak naprawdę to najważniejsze jest mieć głowę pełną

pięknych
kolorowych
myśli!

All of this **matters only a bit,** the most important

is to have a head full of

colorful
beautiful
thoughts!

Wyobraźcie sobie, że w Muzeum Polskim w Chicago
jest pokój poświęcony panu Paderewskiemu.
Dzieją się tam dziwne rzeczy... Ponoć duch pana
Ignacego hula sobie po całym muzeum
i troszeczkę rozrabia!

Imagine, at The Polish Museum of America in Chicago, in a room dedicated
to Mr. Paderewski, strange things happen... Supposedly the spirit of the
Maestro is said to romp and rummage about a bit!

IGNACY JAN PADEREWSKI

Ignacy Jan Paderewski urodził się dawno, dawno temu – 18 listopada 1860 roku w Kuryłówce na Podolu, a zmarł 29 czerwca 1941 w Nowym Jorku. Był bardzo ciekawym człowiekiem, wrażliwym na piękno muzyki oraz przyrody. Zyskał światową popularność jako pianista, nazwano go czarodziejem klawiatury.
Dobrze jest pamiętać o pięknych, kolorowych ludziach. Taki właśnie był nasz Ignaś, czyli Ignacy Jan Paderewski – chłopiec z kolorową głową.

ANNA MYCEK-WODECKI

Anna Mycek-Wodecki urodziła się w Polsce, w Warszawie. Studiowała na Akademii Sztuk Pięknych, gdzie uzyskała dyplom magistra sztuki grafiki i malarstwa. Obecnie mieszka na zielonym osiedlu nad jeziorem, bardzo blisko wielkiego miasta Chicago, gdzie jest profesorem sztuki w The Illinois Institute of Art.
Autorce bardzo zależy, żeby wszystkie dzieci polubiły Ignasia i dowiedziały się, jaką był wspaniałą i kolorową postacią.

IGNACY JAN PADEREWSKI

Ignacy Jan Paderewski was born on November 18, 1860 in Kuryłówka, Poland, and died in New York City on June 29, 1941. He was a charismatic, noble man, sensitive and compassionate. Paderewski was an internationally popular pianist. He traveled to give recitals all around the world and was acclaimed as the magician of the keyboard.
It is good to learn about wonderful, colorful people. Paderewski was one of them, the red-haired boy with a colorful mind.

ANNA MYCEK-WODECKI

Anna Mycek-Wodecki was born in Warsaw, Poland. She has a dual Master of Arts Degree in Graphics and in Painting from The Academy of Fine Arts in Warsaw. She lives in a leafy town near Chicago and is a professor at The Illinois Institute of Art in Schaumburg, Illinois.
The author wishes that children get to know and like Paderewski and learn what a magnificent and colorful person he was.

Słowniczek

Antosia – starsza siostra Paderewskiego, Antonina Wilkońska (1858-1941)

Brise-fer (z języka francuskiego, czyt. *briz fer*) – burzyciel

Chopin, Fryderyk – polski kompozytor i pianista (1810-1849)

Cockey Roberts (z języka angielskiego, czyt. *koki robertz*)

etiuda – rodzaj utworu muzycznego

Florianek – kuzyn Ignacego Jana Paderewskiego

Hollywood Boulevard – ulica w amerykańskim mieście Los Angeles w stanie Kalifornia, na której wybitni artyści są upamiętniani gwiazdami wmurowanymi w chodnik

Glossary

Antosia (*ahn-TOH-sha*) – first name diminutive for Antonina Wilkońska (1858-1941), Paderewski's older sister

Brise-fer (*breeze-fair*) – wrecker (French)

Chopin, Fryderyk – Polish composer and pianist (1810-1849)

etude – in music: exercise

Florianek (*floor-YAHN-eck*) – first name diminutive for Paderewski's cousin

Hollywood Boulevard – a street in Los Angeles, in California, which celebrates performers with stars embedded in the pavement of the Hollywood Walk of Fame

Ignaś (*EEG-nahsh*) – nickname-diminutive for Ignacy (*eeg-NAH-tzyh*)